The Origin and Evolution of
Chinese Characters

走进生活篇

有故事的
汉字

邱昭瑜
编著

青岛出版社
QINGDAO PUBLISHING HOUSE

作者的话

　　一个深深陶醉于中国文字之美的人，曾许下心愿，要将这份对文字的诚挚之爱传递出去。《有故事的汉字》是一颗经由心愿孕育出来的种子，希望这颗种子可以散发出去，在小读者的心中生根发芽。

给小朋友的话

小朋友，考考你：你知道在文字发明以前，古人是怎样传递消息的吗？

你有没有听过古人"结绳记事"的故事？在很久以前，人们用在绳子上打结的方法来记录事情。譬如说，甲村落跟乙村落订下契约，一年后乙村落要送五只羊给甲村落，双方就各拿一段同样长的绳子，在两根绳子上相同的地方各打上五个同样大小的结。等约定的时间到了，双方再比照着绳子共同回忆这些绳结代表什么意思。不过这样也很不保险，因为所有的事情都是用绳结来记录的，虽然绳结有大有小，打结的地方也不一样，可是日子久了，很难确保对每段绳结所代表的意思都记得准确无误。

另外，人们还通过画画的方式来传递消息。可是，这也不是一个很好的方法，因为你知道完成一幅画要花很长的时间，而且也不是每个人都会画画，万一想画一只老虎，画出来的却是恐龙，传递错误信息就糟了！

幸好，人类还是很聪明的，他们发明了简笔画，就是把物体画一个大概的样子，能够知道表示什么意思就可以了；可是，大家的简笔画却画得不大一样。以太阳来说吧，有人喜欢画一个圆圈来表示，有人在圆圈里加上一点，还有人不但在圆圈里加了一点，圆圈周围还要画上万丈光芒……这可怎么办才好呢？

当碰到大家的意见不一致时，总该有人走出来统一吧！文字也是一样，"统一"文字的那个人呢，相传就是黄帝的史官，名叫仓颉。

后代子孙根据仓颉统一整理的这些文字，发现文字的创造是有一定规则可循的，那就是象形、指事、会意和形声。

象形，就是按照物体的样子来画。像"木"这个字，最原始的样子便是画一棵叶子掉光、只剩向上伸展着树枝和向下生长着树根的树。

指事字呢，就是要指出这个物体的特点所在。譬如刀刃的"刃"字，是在一把刀上加一点，那一点就是要特别指出这把刀的刀刃很锋利哦！

会意字又是什么呢？就是你看了这个字，然后在脑袋中想一下就可以知道它表示什么意思。譬如休息的"休"字，画的就像一个人靠在大树下休息，是不是很容易理解呢？

　　最后，说到形声字。你可听过"有边读边，没边读中间"的说法吗？汉字有约百分之九十是形声字，形声字一部分是表示它的类别，另一部分是表示声音。譬如唱歌的"唱"字，唱歌是用嘴巴唱的，所以就用"口"字来当类别，旁边的"昌"音是不是跟"唱"音很相近呢？

　　现在，你是不是开始觉得汉字很有趣了呢？那就让我们翻开这本书，探索更多关于汉字的奥秘，接受最美的汉字启蒙吧！

目录 CONTENTS

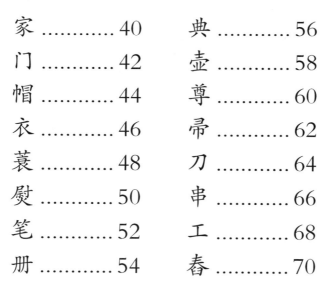

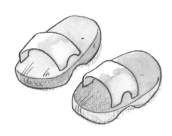

huáng
皇

"皇"字是指王者头上戴着皇冠，端庄、严肃地坐着。"皇"字的下部分是"王"字。甲骨文里，"王"字画的就像一个王者端坐着，宽大的皇袍垂下来"太"。"皇"字最早可追溯到金文，金文的"皇"字上面是"凷"，"灬"表示皇冠，"口"画的是皇上的头，把头画大一点儿是为了特别标明头上戴着皇冠。

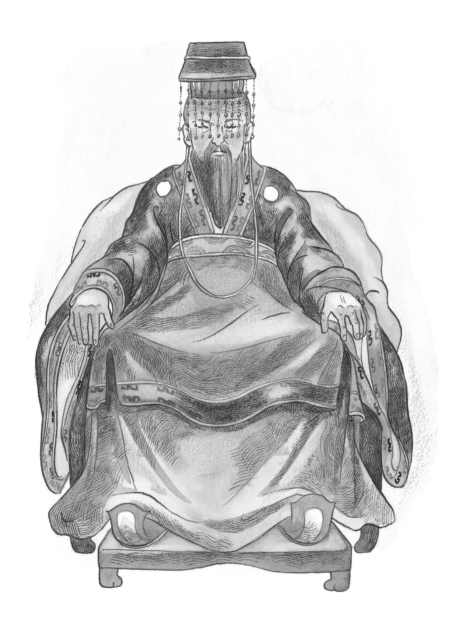

fēng
封

dāng nǐ kàn lì shǐ tí cái de yǐng shì jù shí cháng tīng dào fēng
当你看历史题材的影视剧时，常听到"封

wáng fēng hóu de shuō fa nà wáng hóu wèi shén me shì fēng de ne yuán
王""封侯"的说法，那王、侯为什么是"封"的呢？原

lái gǔ dài shì yī zhào jué wèi de gāo dī lái shǎng cì tǔ dì ràng zhè xiē wáng
来，古代是依照爵位的高低来赏赐土地，让这些王、

hóu kě yǐ zì jǐ zhì lǐ fēng dì fēng zì zuǒ bian huà de jiù shì bèi yòng lái
侯可以自己治理封地。"封"字左边画的就是被用来

dàng zuò jiāng jiè fēn gē de lín mù yòu bian de cùn zé yǒu fǎ dù de yì
当作疆界分割的林木；右边的"寸"则有法度的意

si shì zhǐ fēng jiāng liè tǔ bì xū àn zhào yí dìng de zhì dù
思，是指封疆裂土必须按照一定的制度。

gěi xiǎo péng yǒu de huà
给小朋友的话：

gǔ dài yǒu yì xiē zhì xiàng yuǎn dà de jiāng jūn tā men chí chěng jiāng chǎng
古代有一些志向远大的将军，他们驰骋疆场，

lì xia hàn mǎ gōng láo zuì hòu kě yǐ fēng hóu wàn lǐ xiǎo péng yǒu nǐ zhī dao
立下汗马功劳，最后可以"封侯万里"。小朋友，你知道

zhōng guó gǔ dài yǒu nǎ xiē gōng xūn zhuó zhù de dà jiāng jūn ma
中国古代有哪些功勋卓著的大将军吗？

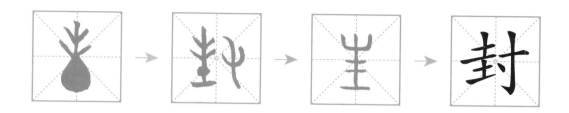

shǐ

史

zhōng guó gǔ dài shǐ guān de zhǔ yào zhí zé shì bǎ zhòng yào de shì qíng huò
中国古代史官的主要职责是把重要的事情或

yán lùn jì zǎi xia lai　　shǐ　zì huà de jiù shì yì zhī shǒu ná zhe jì zǎi yòng
言论记载下来。"史"字画的就是一只手拿着记载用

de àn juàn　　shǐ　zì de shàng miàn shì　zhōng　　gǔ dài guān fǔ de àn juàn jiù
的案卷。"史"字的上面是"中"（古代官府的案卷就

jiào　zhōng　　xià miàn shì yì zhī shǒu　　ヨ　　guān yú　shǐ　zì de lìng yì
叫"中"），下面是一只手"ヨ"。关于"史"字的另一

zhǒng shuō fa shì jì zǎi shǐ shì de rén lì chǎng yào bǎo chí zhōng zhèng　kè guān　suǒ
种说法是记载史事的人立场要保持中正、客观，所

yǐ　　shǐ　zì de　中　biǎo shì de jiù shì ná bǐ zhí shū　zhèng zhí de shū
以，"史"字的"中"表示的就是拿笔直书（正直地书

xiě　de yàng zi
写）的样子。

mù

牧

"牧"是一个人手里拿着鞭子赶牛去吃草,它的本意是指"养牛的人"。"牧"字的左边是"牛",右边是"攴"(音读扑)——就是用手"彐"拿着鞭子"乀"的样子。古时候,通常是由小孩子赶牛去吃草喝水,所以就有"牧童"的称呼。在赶牛的时候,牧童手里要拿着一条鞭子,好把牛羊驱赶到水草丰盛的地方。

给小朋友的话:

小朋友,你知道中国北方的游牧民族吗?他们为了找寻丰盛的水草来喂养牲畜,常常需要迁徙。你对他们的生活感到好奇吗?可以通过读书了解他们的故事。

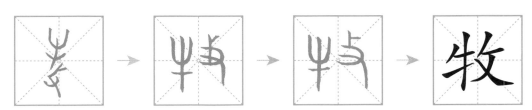

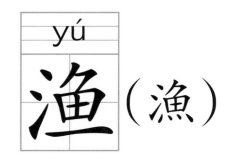

yú
渔（漁）

“渔”是捕鱼的意思。甲骨文的“渔”字画的就像一个人手里拿着一条线正在钓鱼；演变到金文时，就变成两只手伸到水里去捉鱼了；到小篆时，就把下面的两只手去掉，只保留了“鱼”和“水”，变成今日所见的“渔”字。

给小朋友的话：

小朋友，你有没有听过“鹬蚌相争，渔翁得利”的故事？这个故事给你怎样的启示呢？

16

17

yùn

孕

"孕"是指女人怀胎的意思。从甲骨文的"孕"字
的字形中，可以清楚地看到一个大肚子的女人正跪
坐着，她圆圆大大的肚子里有一个小孩儿。广东人
称女人怀孕为"有了身己"，就是指一个身体里还有
另一个身体。怀孕是人来到世上的开始，所以"孕"
字有初始、哺育的意思。

给小朋友的话：

哺乳类动物都会通过怀孕来繁衍后代。陆地上的
哺乳类动物有很多，你知道海里的哺乳类动物都有
哪些吗？

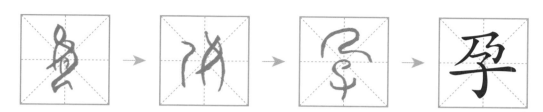

19

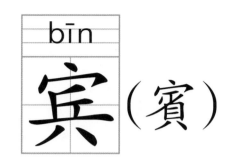

bīn

宾（賓）

bīn jiù shì kè shì bèi zhǔ ren jiē dài de rén bīn kè bài fǎng zhǔ
"宾"就是客，是被主人接待的人。宾客拜访主

ren shí tōng cháng huì dài jiàn miàn lǐ jiǎ gǔ wén de bīn zì huà de shì zhǔ
人时，通常会带见面礼。甲骨文的"宾"字，画的是主

ren cóng shì nèi zǒu chu qu yíng jiē cóng wài miàn zǒu jin lai de kè
人"𠣭"从室内"𠆢"走出去，迎接从外面走进来的客

ren jí zhǐ zì jiǎo de yì si zhè li yòng lái biǎo shì kè ren
人"𠧞"（即"止"字，脚的意思，这里用来表示客人）；

dào le jīn wén shí bīn zì de zào xíng jiù gēn xiàn zài bǐ jiào jiē jìn le
到了金文时，"宾"字的造型就跟现在比较接近了，

huà zhe yí gè zài wū li de zhǔ ren zǒu chu píng fēng qù yíng jiē dài zhe
画着一个在屋里的主人走出屏风"𠃜"，去迎接带着

lǐ wù de kè ren bèi zài gǔ dài shì yì zhǒng huò bì zhè li yòng
礼物"贝"的客人（"贝"在古代是一种货币，这里用

lái biǎo shì guì zhòng de lǐ wù
来表示贵重的礼物）。

gěi xiǎo péng yǒu de huà
给小朋友的话：

chéng yǔ bīn zhì rú guī shì zhǐ kè ren shòu zhāo dài de gǎn jué jiù xiàng
成语"宾至如归"是指客人受招待的感觉，就像

zài zì jǐ jiā li yí yàng shū shì zì zai xiǎo péng yǒu nǐ zì jǐ zhāo dài guo kè
在自己家里一样舒适、自在。小朋友，你自己招待过客

ren ma nǐ dōu yòng zěn yàng de fāng shì zhāo dài tā men ne
人吗？你都用怎样的方式招待他们呢？

20

kòu

寇

甲骨文的"寇"字,画的是盗贼正在烧抢劫掠
的画面。"寇"字上半部画的是一间房子的屋顶 正
熊熊燃烧着大火,屋子里则有盗匪手里拿着武器
"弎",正在抢夺珠玉"王"和宝物"由";演变到小篆
时,"寇"字变成了"完"与"攴"(音读扑,打击)。必
须用尽全力才能击败的人,就是寇匪。

给小朋友的话:

成语"寇不可玩"是指对于外来的敌人要提高警
觉,不能掉以轻心。生活中,对于言行怪异的陌生人,
我们要提高警觉,学会更好地保护自己。

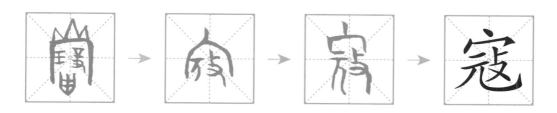

zhòng
众（眾）

shù mù hěn duō jiào zuò zhòng　zài gǔ wén zhōng　zhòng de zì xíng kàn
数目很多叫作"众"。在古文中，"众"的字形看

qǐ lai jiù xiàng sān gè rén zhàn zài yì qǐ de cè miàn shàng miàn shì zhòng rén de yǎn
起来就像三个人站在一起的侧面，上面是众人的眼

jing　　　　gǔ wén zhōng　sān gè chóng fù de fú hào jiù biǎo shì duō de
睛"▱"。古文中，三个重复的符号就表示"多"的

yì si suǒ yǐ chóng fù sān gè rén　jiù chǎn shēng zhòng rén de yì si
意思。所以重复三个"人"，就产生"众人"的意思。

ér yǎn jing yòu shì xīn líng de chuāng hu hěn duō rén zhàn zài yì qǐ níng jù de mù
而眼睛又是心灵的窗户，很多人站在一起凝聚的目

guāng kě chǎn shēng lìng rén wèi jù de lì liang suǒ yǐ　　zhòng yòu yǒu duō　dà
光可产生令人畏惧的力量，所以，"众"又有多、大

de yì si
的意思。

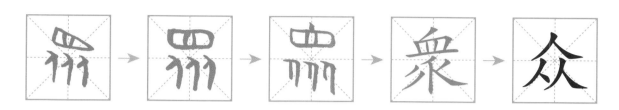

25

míng

名

古时候不像现在这样，天黑之后，灯光还可以照得跟白天一样。那时候在夕阳西下天色暗淡后，人与人在路上相遇，因为不知道对方是谁，所以要说出自己的名字，用来辨别身份。"名"字便是由"夕"与"口"组合而成。在天色暗淡，看不清对方之时，要张开嘴巴喊叫的就是"名"了。

给小朋友的话：

小朋友，你有没有学过才艺呢？俗话说"名师出高徒"！在名师的门下，除了老师的指点，自己更要努力练习才能成为"高徒"！

◎ "名"字的演变过程：

叩 → 召 → 召 → 名

gòng
共

当你想跟别人共享东西时，是否会用双手
dāng nǐ xiǎng gēn bié ren gòng xiǎng dōng xi shí shì fǒu huì yòng shuāng shǒu

捧着那样东西，恭敬地奉上呢？"共"字在古文中，
pěng zhe nà yàng dōng xi gōng jìng de fèng shang ne gòng zì zài gǔ wén zhōng

画的就是用双手"𣥂"拿着东西"口"的样子，因
huà de jiù shì yòng shuāng shǒu ná zhe dōng xi de yàng zi yīn

为物品是用双手持拿，所以态度是很恭敬的。其他
wèi wù pǐn shì yòng shuāng shǒu chí ná suǒ yǐ tài du shì hěn gōng jìng de qí tā

有"共"字旁的字，例如"供给"的"供"、"拱手"的
yǒu gòng zì páng de zì lì rú gōng jǐ de gōng gǒng shǒu de

"拱"、"恭敬"的"恭"，也都有将物品给人或恭敬的
gǒng gōng jìng de gōng yě dōu yǒu jiāng wù pǐn gěi rén huò gōng jìng de

意思。
yì si

给小朋友的话：
gěi xiǎo péng yǒu de huà

中国汉字中，除部首外，还有一些字可以衍生出
zhōng guó hàn zì zhōng chú bù shǒu wài hái yǒu yì xiē zì kě yǐ yǎn shēng chū

其他意思跟它有关联的字来。了解了这一点，当你碰到
qí tā yì si gēn tā yǒu guān lián de zì lai liǎo jiě le zhè yì diǎn dāng nǐ pèng dào

不认识的字时，就可以玩"拆字"游戏，来猜猜它的意思。
bú rèn shi de zì shí jiù kě yǐ wán chāi zì yóu xì lái cāi cai tā de yì si

yǔ

与（與）

  "与"字本来的意思是"给予"。在甲骨文的字形中，可以清楚地看到是一个人伸出两只手"𦥑"，把东西"日"拿给另一个也伸出两只手"𠬞"来接东西的人。因为授予的是财物之类的东西，表示这两个人的关系很亲近，所以，"与"字也有"党羽"的意思，即指关系很亲密的朋友。

给小朋友的话：

  "与众不同"是比喻非常特殊，跟一般人不同。古今中外，有很多成功的人想法和做法都是与众不同的。你知道有哪些这样的人吗？他们获得成功的原因是什么？

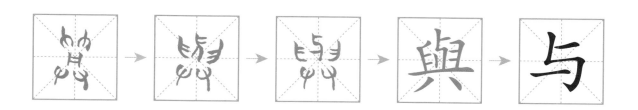

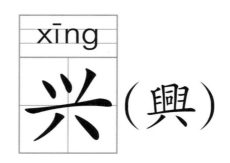

xīng

兴（興）

在古文中，"兴"字画的就是四只手""共同把一个东西""推举起来，表示集合众人的力量，共同去完成一件事情。就像中国古代夏朝的"少康中兴"一样，只要大家同心协力，就可以圆满完成任务，所以"兴"字就有兴起、发动、昌盛的意思。

给小朋友的话：

成语"兴风作浪"原来是指神话里的妖魔鬼怪运用法术兴起风浪，现在则比喻到处招惹事端，引起纠纷。小朋友，你有时是不是也会"兴风作浪"，让父母伤脑筋呢？

◎ "兴"字的演变过程：

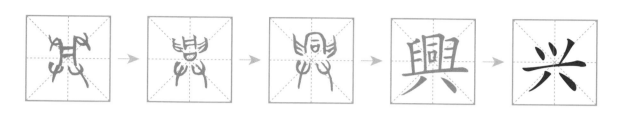

xiàn

陷

jīn wén de "xiàn" zì jiù xiàng yì zhī lǎo hǔ "🐯" diào dào xiàn jǐng
金文的"陷"字就像一只老虎"🐯"掉到陷阱

li de yàng zi　　yǎn biàn dào xiǎo zhuàn shí　"xiàn" zì de xíng tǐ jiù hé
"🕳"里的样子；演变到小篆时，"陷"字的形体就和

jīn tiān kàn dào de bǐ jiào xiāng jìn le　zuǒ bian shì "lín" （fù）　yǒu gāo chù de
今天看到的比较相近了，左边是"邻"（阜），有高处的

yì si　yòu bian kàn qi lai jiù xiàng yí gè rén "🧍" diào dào xiàn jǐng "🕳" li
意思，右边看起来就像一个人"🧍"掉到陷阱"🕳"里。

cóng gāo chù diào luò dào dì xià de kēng dòng li jiù jiào zuò "xiàn"　lì rú
从高处掉落到地下的坑洞里就叫作"陷"，例如

xiàn luò
"陷落"。

zhōu

舟

"舟"就是小船，最原始的舟是独木舟，是把大的木头中间挖空，里面可以载人或物渡过河流。在甲骨文和金文里，"舟"字的字形都像横着的小船；演变到小篆时，因为横写不方便，就把"舟"立起来，改成直写，上面的一撇表示船的帆桅（竖立在小船上的高高的木头），中间则是船舱。

给小朋友的话：

成语"同舟共济"比喻在艰险的处境中，大家团结一致，共同战胜困难。

36

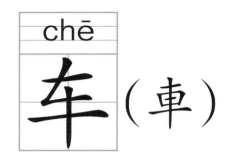

chē

车（車）

gǔ rén chéng zuò de chē shì yòng mǎ huò niú qù lā de　zuì zǎo de chē
古人乘坐的车是用马或牛去拉的。最早的车

zi zhǐ yǒu liǎng gè lún zi　yīn cǐ　　chē　zì jiù shì gēn jù chē zi de wài
子只有两个轮子，因此，"车"字就是根据车子的外

xíng lái zào de　zài jiǎ gǔ wén li　　chē　zì yǒu de huà de shì yǒu chē xiāng
形来造的。在甲骨文里，"车"字有的画的是有车厢

de chē zi　yǒu de zé zhǐ huà le chē zi de liǎng gè lún zi　yǎn biàn dào jīn wén
的车子，有的则只画了车子的两个轮子；演变到金文

shí　　chē　zì jiù bǐ jiào xiàng jīn tiān suǒ xiě de zì xíng le　shàng xià liǎng gè
时，"车"字就比较像今天所写的字形了，上下两个

biǎo shì chē lún　zhōng jiān de　　　zé shì chē xiāng　cóng zhōng jiān guàn
"⚊"表示车轮，中间的"⊖"则是车厢，从中间贯

chuān de　　zé biǎo shì lún zhóu
穿的"|"则表示轮轴。

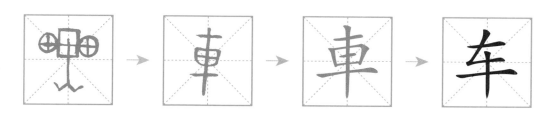

jiā

家

"家"字上半部是"宀"（音读棉），下半部是一头"豕"（猪）。这是因为古代几乎家家户户都养牲畜，用来祭祀或帮助生计，所以在古代要计算财富，只要知道他养了多少牲畜就可以了，而且"豕"又常常被用来表示牲畜。所以，"宀"字的下面就有一头猪（豕），上面是房子的外观。

给小朋友的话：

成语"家喻户晓"是指家家户户都知道。在你认识的人中，有没有这样的人？他们有什么让人传颂的事迹呢？

40

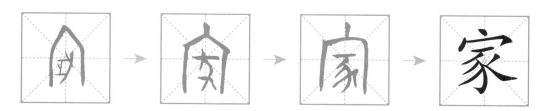

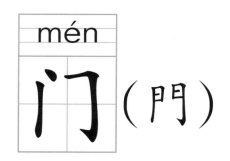

mén
门（門）

"门" 原来指有两扇门板可以开关的门。现在
这种门已很少见了，在一些寺庙或比较古老的建筑
中还可以看到。这种门在关闭的时候通常是用一
根长木条把它扣住，所以就有了"闩"字。现在的门
大多是单扇的，在古代这样的门被称作"户"，"户"
（户）是"门"的一半。现在的门和户已经不分了，有
时甚至合称为"门户"。

给小朋友的话：

成语"门禁森严"是形容门口的戒备和防范非常
严密。小朋友，你知道吗？古代的帝王宫殿门禁森严，
一般人是不能随便出入的。

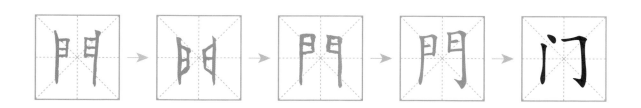

mào
帽

"帽"是戴在头上用来保护头部或保暖、防雨的用品。古文"帽"字本来写作"冒",上面画的是帽子的形状,下面是眼睛。后来为了要特别指出这帽子是用布帛做成的,就加上了一个"巾"字旁。在古代,男子要到二十岁的成人礼才能开始戴冠,在这之前都是戴帽子,戴帽子不受年龄限制,所以帽子的制作样式也不受限制。

给小朋友的话:

现在的帽子已经不限定用布帛当材料来制作了,而且造型也是五花八门。小朋友,你知道很多时候戴帽子要注重场合吗?

yī

衣

古代的衣服造型跟现代的很不一样。从一些图片资料中，你可以看到古人的衣服有两片衣襟，可以交叉掩盖住，然后下面再用衣带束起来。古文的"衣"字画的就是衣服的样子，上面的"人"是衣领，下面的"乀"则表示两片交叉掩盖的衣襟。

给小朋友的话：

小朋友，我们现在的物质生活条件好了，绝大多数人都可以实现"丰衣足食"，这是我们每一个人的福气，我们都应该倍加珍惜！

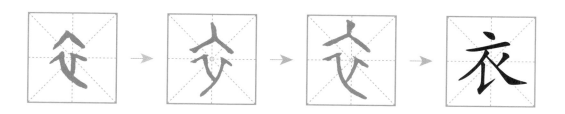

47

suō

蓑

zài sù liào yǔ yī hái méi you chū xiàn qián　 xià yǔ tiān rén men dōu shì chuān
在塑料雨衣还没有出现前,下雨天人们都是穿

suō yī lái zhē fēng dǎng yǔ de　 suō yī shì yòng cǎo biān zhī ér chéng de　 jīn
"蓑衣"来遮风挡雨的。蓑衣是用草编织而成的。金

wén de suō zì jiù xiàng suō yī de wài xíng zhōng jiān de　 biǎo shì jié cǎo biān
文的"蓑"字就像蓑衣的外形,中间的"木"表示结草编

zhī de huā wén xíng zhuàng yǎn biàn dào xiǎo zhuàn shí　 suō zì jiù yóu yī
织的花纹形状;演变到小篆时,"蓑"字就由衣"衣"

yǔ　　　　　 jié cǎo biān zhī de xíng zhuàng zǔ hé ér chéng xiàn zài de suō
与"木"(结草编织的形状)组合而成;现在的"蓑"

zì zé tiān le gè　　 zì tóu yòng lái qiáng diào tā shì yòng cǎo biān zhī chéng
字则添了个"艹"字头,用来强调它是用草编织成

de
的。

gěi xiǎo péng yǒu de huà
给小朋友的话:

xiǎo péng yǒu　 nǐ jiàn guo suō yī ma　 suō yī biān zhī de hěn jǐn mì kě yǐ
小朋友,你见过蓑衣吗?蓑衣编织得很紧密,可以

yòng lái fáng yǔ zài yì xiē zhǎn shì nóng cūn shēng huó fēng mào de zhǎn lǎn guǎn li kě
用来防雨。在一些展示农村生活风貌的展览馆里可

yǐ kàn dào tā
以看到它。

48

yùn

熨

gǔ dài méi yǒu diàn rè yùn dǒu　suǒ yǐ yùn yī fu shí　jiù ná yí gè
古代没有电热熨斗，所以熨衣服时，就拿一个

yòng tóng huò tiě zuò de dǒu　zài dǒu li fàng shang shāo rè de mù tàn　xiān bǎ yī
用铜或铁做的斗，在斗里放上烧热的木炭，先把衣

fu pū hǎo　zài bǎ dǒu yā zài yī fu shang lái huí yí dòng　lì yòng dǒu sàn fā
服铺好，再把斗压在衣服上来回移动，利用斗散发

de rè liàng bǎ yī fu yùn píng　zhè ge zì zuì zǎo kě zhuī sù dào xiǎo zhuàn xiǎo
的热量把衣服熨平。这个字最早可追溯到小篆，小

zhuàn de　　yùn　　zì de yòu shàng fāng shì yì zhī shǒu　zuǒ shàng fāng shì yí gè dǒu
篆的"熨"字的右上方是一只手，左上方是一个斗，

xià miàn de huǒ biǎo shì yùn yī fu shí dǒu bì xū shì rè tàng de
下面的火表示熨衣服时斗必须是热烫的。

gěi xiǎo péng yǒu de huà
给小朋友的话：

gǔ rén de zhì huì lìng rén chēng qí　ér qiě yǔ shēng huó yǒu zhe mì qiè de
古人的智慧令人称奇，而且与生活有着密切的

guān xi　yào xiǎng zhī dao gǔ rén shì zěn yàng bǎ zhè xiē zhì huì yùn yòng dào shēng
关系。要想知道古人是怎样把这些智慧运用到 生

huó zhōng qù de　kě yǐ duō kàn yì xiē gǔ dài de gù shi
活中去的，可以多看一些古代的故事。

閃 ▶ 熨

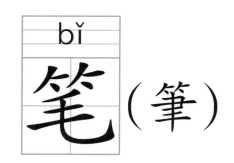

bǐ

笔（筆）

　　"笔"是指毛笔，毛笔大多是用竹管制成的，下
面多用狼毛或羊毛，所以常听到这支毛笔是狼毫笔
或羊毫笔的说法。"毫"是指动物的细毛，狼毫比较
硬，羊毫比较软。在"笔"字的小篆字形中，下半部就
像一只手拿着毛笔，上面的"竹"字旁则表示这是
用竹管制成的。

给小朋友的话：

　　成语"笔走龙蛇"形容书法写得生动流畅而有
气势。小朋友，你练习书法吗？练习书法不仅可以磨炼意
志，而且对硬笔字的书写也大有帮助！

cè

册

gǔ shí hou de shū cè shì jiāng xiāo chéng yí piàn piàn de zhú zi yòng shéng
古时候的书册是将削成一片片的竹子,用绳

zi huò pí tiáo chuān qi lai biān chéng de cóng gǔ wén cè zì de zì xíng zhōng
子或皮条穿起来编成的。从古文"册"字的字形中

yǐn yuē kě yǐ kàn dào zhú jiǎn shū de yàng zi shù zhí de shì yì tiáo tiáo de zhú
隐约可以看到竹简书的样子,竖直的是一条条的竹

jiǎn tā men cháng duǎn yǒu xù de pái liè zài yì qǐ zhōng jiān héng de jiù shì shéng
简,它们长短有序地排列在一起;中间横的就是 绳

zi huò pí tiáo guàn chuān qi lai jiù chéng le yì běn shū cè yě shì jì suàn
子或皮条,贯穿起来就成了一本书。"册"也是计算

shū jí de jì liàng dān wèi
书籍的计量单位。

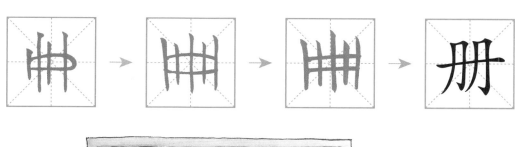

diǎn
典

zài gǔ wén zhōng　　diǎn　zì de xiě fa gēn　　cè　zì yǒu diǎn xiàng　yīn
在古文中，"典"字的写法跟"册"字有点像，因

wei diǎn　yě shì zhǐ shū jí　　zhǐ bú guò tā bǐ yì bān de shū jí gèng zhēn
为"典"也是指书籍，只不过它比一般的书籍更珍

guì　bǐ rú zì diǎn huò zhě gǔ dài shèng xián chuán xia lai de jīng diǎn suǒ yǐ yào
贵，比如字典或者古代圣贤传下来的经典，所以要

yòng shuāng shǒu pěng zhe yǐ shì duì tā de jìng zhòng　jiǎ gǔ wén li　diǎn　zì
用双手捧着以示对它的敬重。甲骨文里，"典"字

huà de jiù shì yòng shuāng shǒu pěng zhe shū cè　yǎn biàn dào jīn wén shí shuāng shǒu biàn
画的就是用双手捧着书册；演变到金文时，双手变

chéng le yí gè　　　zhè shì zhuān mén yòng lái shōu cáng zhēn guì diǎn jí de qì
成了一个"𠀎"，这是专门用来收藏珍贵典籍的器

jù　yóu cǐ yě kě yǐ kàn chu gǔ rén duì zhòng yào diǎn jí de zhēn shì
具，由此也可以看出古人对重要典籍的珍视。

gěi xiǎo péng yǒu de huà
给小朋友的话：

xiǎo péng yǒu　suī rán wǒ men xiàn zài kě yǐ kàn dào de shū yuè lái yuè duō le
小朋友，虽然我们现在可以看到的书越来越多了，

dàn shì yǒu yì xiē shū shì cóng gǔ dào jīn dōu bú huì bèi táo tài de　yīn wei nà shì gǔ
但是有一些书是从古到今都不会被淘汰的，因为那是古

rén zhì huì de jié jīng　wǒ men chēng zhè xiē shū wéi　jīng diǎn　nǐ kě yǐ qǐng fù
人智慧的结晶，我们称这些书为"经典"。你可以请父

mǔ shī zhǎng tuī jiàn yì xiē jīng diǎn míng zhù lái yuè dú
母师长推荐一些经典名著来阅读。

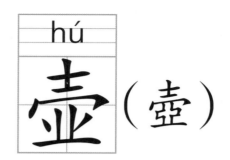

hú

壶（壺）

zài gǔ dài "壶" shì zhǐ chéng jiǔ jiāng de wǎ qì "壶" shì yí gè
在古代，"壶"是指盛酒浆的瓦器。"壶"是一个

xiàng xíng zì cóng tā de gǔ wén zì xíng zhōng wǒ men kě yǐ qīng chu de kàn dào zuì
象形字，从它的古文字形中，我们可以清楚地看到最

shàng miàn shì hú de gài zi rán hòu shì hú de bǐ jiào xì cháng de jǐng hé yuán
上面是壶的盖子，然后是壶的比较细长的颈和圆

yuán dà dà de dù zi hú de liǎng páng hái yǒu ěr duo yǐ fāng biàn qǔ yòng
圆大大的肚子，壶的两旁还有耳朵，以方便取用。

gěi xiǎo péng yǒu de huà
给小朋友的话：

hú yǔ kǔn èr zì xíng tǐ hěn xiāng jìn kǔn zhǐ de shì gǔ dài gōng
"壶"与"壸"二字形体很相近，"壸"指的是古代宫

zhōng de dào lù zì tǐ zhōng de yà yuán běn xiě zuò zhǐ de shì gōng zhōng
中的道路，字体中的"亚"原本写作"㗊"，指的是宫中

bèi sì miàn wéi qiáng bāo zhù de tōng dào suǒ yǐ dāng nǐ zài xiě hú zì shí zhù
被四面围墙包住的通道，所以当你在写"壶"字时，注

yì bié duō xiě le yì héng
意别多写了一横。

58

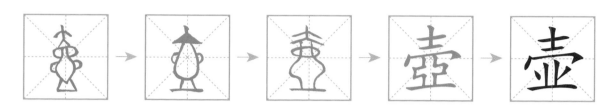

zūn

尊

"尊"的本意是古代的一种专供祭祀或款待宾客时使用的酒器，所以后来"尊"字也引申为尊敬、恭敬的意思。"尊"的甲骨文字形就是两只手"ㄐㄐ"捧着酒樽"酉"的样子，用两只手来捧着酒器，可见态度非常恭敬，而可以被这样款待的宾客，身份也一定很显贵。

给小朋友的话：

"尊师重道"是指要尊敬老师以及老师所讲的圣贤之道。这也告诉我们：在生活中，要尊敬那些有才能、有智慧的人，并向他们学习。

zhǒu

帚

"帚"就是扫把。从甲骨文的字形中，可以清楚地看到这把扫把被倒放着，下面是扫把的柄"⺊"，可以站立；上面则是可供扫除用的部分"彐"，中间的"冖"则是用来放置扫把的架子，扫完地以后把扫把放在固定的架子上，这样下次取用时就方便了。

gěi xiǎo péng yǒu de huà
给小朋友的话：

小朋友，你知道彗星又叫"扫帚星"吗？因为它拖着一条长长的尾巴，看起来很像扫帚的样子。你见过彗星吗？知道它是怎样形成的吗？

dāo

刀

"刀"是象形字，字形就是一把刀子侧面的形状。通过这个字形，我们可以看到上面的刀柄，右边的刀背和左边的一撇表示刀锋。刀刃的"刃"字比"刀"字在刀锋的地方多了一点，则是用来表明这是刀最锋利的地方。

给小朋友的话：

在影视剧中，我们经常可以看到各种各样的兵器，"刀"即是古代兵器的一种。小朋友，你还见过哪些古代兵器呢？

◎ "刀"字的演变过程：

chuàn

串

你见过糖葫芦或珠子项链吗？像那样把东西连贯在一起的就叫作"串"。古文的"串"字就是两个东西被穿起来的样子。现在"串"字常被用作量词，用来指称被穿在一起的东西，这是"串"字最初就有的意思。

给小朋友的话：

你知道在我们日常生活中常常会用到哪些量词吗？像"个、只、颗、张……"你能够正确无误地运用它们吗？

gōng

工

jiǎ gǔ wén de gōng zì jiù xiàng yì zhǒng gōng jù de yàng zi shàng miàn
甲骨文的"工"字就像一种工具的样子，上面

shì kě yǐ wò zhe de bǐng xià miàn zé shì yòng lái chéng zhuāng dōng xi de róng qì
是可以握着的柄，下面则是用来盛装东西的容器，

yǒu diǎn xiàng xiàn zài de chǎn zi suǒ yǐ gōng zì zuì chū shì gōng jù de yì
有点像现在的铲子，所以"工"字最初是"工具"的意

si yǎn biàn dào jīn wén shí gōng zì de zì xíng jiù gēn xiàn zài hěn xiāng jìn
思；演变到金文时，"工"字的字形就跟现在很相近

le shàng xià liǎng tiáo píng xíng de xiàn jiù xiàng kě yǐ yòng lái cè liáng shuǐ píng de shuǐ
了，上下两条平行的线就像可以用来测量水平的"水

píng yí zhōng jiān de yí shù jiù xiàng shéng zi nà yàng zhí zhí de chuí xia lai yòng
平仪"，中间的一竖就像绳子那样直直地垂下来，用

lái biǎo shì rén zuò shì néng fú hé guī ju biāo zhǔn suǒ yǐ wǒ men huì chēng shàn
来表示人做事能符合规矩、标准，所以我们会称擅

cháng mǒu zhǒng jì yì de rén wéi mǒu mǒu gōng
长某种技艺的人为某某工。

chōng

舂

"舂"字的古文字形看起来就像两只手拿着一根杵在捣臼里的谷物。谷物在收割后要先放在阳光下曝晒，使其干燥。在食用前，要先把谷物的外壳去掉。古人就用"舂"的方式来去壳，譬如稻谷去掉壳之后的就是米，而被去掉的壳就称作"糠"。

给小朋友的话：

我们现在已经很少看到农业社会时使用的器具了，像杵、臼、耙等。小朋友，可以让父母带你去参观农业博物馆，看看以前用的器具是怎样的。

71

jī

箕

bò ji shì nóng cūn jīng cháng yòng dào de yì zhǒng gōng jù tā kě yǐ bǎ
簸箕是农村经常用到的一种工具，它可以把

gǔ wù de kāng pí yáng qì diào lìng wài hái yǒu yì zhǒng bèi chēng zuò běn jī
谷物的糠皮扬弃掉；另外，还有一种被称作畚箕

de kě yǐ yòng lái zhuāng sǎo chú de chén tǔ kū yè děng jī de běn zì
的，可以用来装扫除的尘土、枯叶等。"箕"的本字

shì qí qí zì shàng miàn huà de shì yí gè bò ji xià miàn de
是"其"，"其"字上面画的是一个簸箕"囟"，下面的

biǎo shì de shì yí gè rén de liǎng zhī shǒu ná zhe bò ji lái huí yáo dòng
"兀"表示的是一个人的两只手拿着簸箕来回摇动

de yàng zi hòu lái qí zì bèi jiè qu biǎo shì qí tā de yì si jiù lìng
的样子；后来"其"字被借去表示其他的意思，就另

wài zào le yí gè jiā zhú zì piān páng de jī zì lái qiáng diào jī duō shì
外造了一个加"竹"字偏旁的"箕"字，来强调"箕"多是

yòng zhú zi biān chéng de
用竹子编成的。

gěi xiǎo péng yǒu de huà
给小朋友的话：

hěn duō gǔ dài de qì wù zài xiàn dài yǐ jīng bù róng yì jiàn dào le nǐ kě yǐ
很多古代的器物在现代已经不容易见到了，你可以

qǐng fù mǔ shī zhǎng dài nǐ qù mín sú bó wù guǎn huò lì shǐ bó wù guǎn děng dì fang
请父母师长带你去民俗博物馆或历史博物馆等地方

cān guān kàn kan gǔ rén suǒ shǐ yòng de qì jù
参观，看看古人所使用的器具。

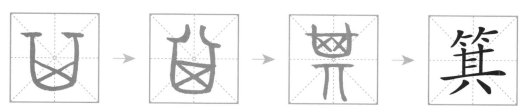

bǎo

宝（寶）

珍贵、贵重的东西就叫"宝"。甲骨文里的"宝"
字，字形就是藏在屋子"∩"里的贝"⦰"跟玉"王"。
"贝"是古代货币的一种，"玉"则是宝石；演变到金
文时，"宝"的字形比甲骨文多了一个"缶"。"缶"是
瓦罐，加"缶"表示将珠玉财物藏在家里的瓦罐中，
有更加珍视的意思。

给小朋友的话：

成语"宝刀未老"是指年纪虽然大了，可是精神或
本领却不比年轻时差。小朋友，你知道历史上哪些人
物可以用"宝刀未老"来形容吗？

gǔ

鼓

　　"鼓"在古代是表示打鼓的意思。甲骨文的"鼓"字,右边画的是一只手拿着鼓槌,左边画的是一个放在架子上的鼓,拿鼓槌打绷紧了兽皮的鼓,就会发出鼓声。这个字看起来就像一幅生动的打鼓图。后来,"鼓"字常用来指这种乐器的名称,便由动词变为名词。

给小朋友的话：

小朋友,你知道中国古代有哪些乐器吗？中国的乐器跟外国的乐器有什么不同？

shè
射

shè jiàn shí yào xiān bǎ gōng jiàn jià hǎo　gōng xián lā mǎn　rán hòu miáo
射箭时要先把弓箭架好，弓弦拉满，然后瞄

zhǔn mù biāo　yì gǔ zuò qì　jiǎ gǔ wén de　shè　zì huà de jiù shì yì bǎ
准目标，一鼓作气。甲骨文的"射"字画的就是一把

yǐ jīng lā mǎn xián de gōng jiàn　yǎn biàn dào jīn wén shí　jiù zài gōng jiàn de yòu
已经拉满弦的弓箭；演变到金文时，就在弓箭的右

bian jiā le yì zhī shǒu　yòng lái biǎo míng gōng jiàn shì yòng shǒu lā de　gǔ wén
边加了一只手，用来表明弓箭是用手拉的（古文

yòu　cùn bù fēn　cháng bèi yòng lái biǎo shì　shǒu　yǎn biàn dào xiǎo zhuàn
"又""寸"不分，常被用来表示"手"）；演变到小篆

shí　yīn wei zuǒ bian de zì xíng xiě qi lai gēn　shēn　zì de xíng tǐ hěn xiāng
时，因为左边的字形写起来跟"身"字的形体很相

sì　suǒ yǐ jiù é biàn wéi　shēn　de xíng tǐ　yě jiù chéng le jīn tiān suǒ jiàn
似，所以就讹变为"身"的形体，也就成了今天所见

de　shè　zì le
的"射"字了。

---

shè rén xiān shè mǎ　qín zéi xiān qín wáng shì bǐ yù chǔ lǐ wèn tí shí yào
"射人先射马，擒贼先擒王"是比喻处理问题时要

xiān zhuā zhù zuì zhǔ yào　zuì guān jiàn de diǎn　zhè yàng shì qing jiù kě yǐ hěn róng yì
先抓住最主要、最关键的点，这样事情就可以很容易

de jiě jué le　xiǎo péng yǒu　nǐ zài chǔ lǐ wèn tí shí yǒu méi you zhè me zuò ne
地解决了。小朋友，你在处理问题时有没有这么做呢？

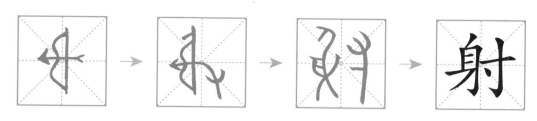

wǎng
网（網）

"网"的本字是"罔"，画的是张开的网子。上
面和两边"冂"表示网子的边，中间交叉的部分则
是网子的网目；演变到小篆时，因为网子是用来田
猎或捕鱼的，目的是为了防止猎物逃脱，因此在这个
字形里加了"亡"，来表示这个字的声音和意义；后
来"罔"字被借用去表示其他的意思，就再加上一个
"糸"字旁来强调它通常是由丝织品制成的。

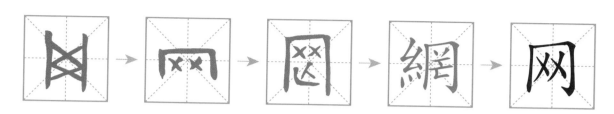

guàn

盥

"盥" 是洗手的意思。在古文的字形中，"盥" 字
看起来就像一个人把两只手伸进装有水的器皿
中，捧起水来清洗手上的污垢。"盥" 字上半部的两
边就是两只手 "𦥑"，中间是水 "水"，下面则是一个
可以盛水的器皿 "皿"。

yù
浴

"浴"是洗澡的意思。古人大多在山谷里洗澡，所以"浴"的右边是一个"谷"字，左边是"水"字，表示在山谷里用水洗掉身上的污秽。甲骨文的"浴"字画的就像一个人坐在大浴盆里洗澡，身上还有几滴水滴，而澡盆中央是凹进去的，就像山谷一样，所以后来"浴"字的右边演变成"谷"，也是有迹可循的。

给小朋友的话：

小朋友，你有没有养成每天洗澡的好习惯呢？洗澡不仅可以保持个人卫生，还可以促进血液循环，让身体变得更健康，更有活力。

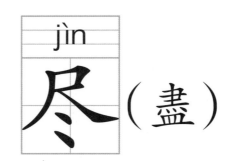

jìn

尽（盡）

zài jiǎ gǔ wén li　　jìn　　zì de　zì xíng jiù xiàng chī wán dōng xi hòu
在甲骨文里，"尽"字的字形就像吃完东西后，

yòng shǒu ná zhe gōng jù zài xǐ shuā qì mǐn　　yīn wei biǎo shì yǐ jīng chī wán zài qīng
用手拿着工具在洗刷器皿。因为表示已经吃完在清

xǐ le　　suǒ yǐ jiù yǒu zhōng liǎo　　jìn le de yì si　　　jìn　　zì de shàng bàn
洗了，所以就有终了、尽了的意思。"尽"字的上半

bù shì shǒu　　hé xǐ dí de yòng jù　　　xià miàn shì qì mǐn　　　zhè
部是手"彐"和洗涤的用具"木"，下面是器皿"丷"，这

ge zì kàn qi lai jiù xiàng yì fú shēng dòng de tú huà
个字看起来就像一幅生动的图画。

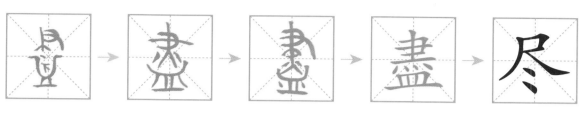

yì

溢

"溢"是指容器里的水已经满出来的意思。它的右边是"益"字,"益"是由"水"和"皿"组成,"皿"是器皿的意思。"益"上的"水"是横写的,表示水已经装满了器皿,现在左边再多一个"水",成了"溢"字,表示水满到流出来了,这就是"溢出"的意思由来。

给小朋友的话：

小朋友,你有没有做过"表面张力"这个实验?试着把杯子里的水加到很满,因为其存在表面张力的缘故,它会呈现一个圆弧形的紧绷状态,这时你再加入一滴水,表面张力超过它所能承受的范围,水就会流下来了。

xiàn

羡

"羡"是一个很有意思的字，它的上面是一只
"羊"，用来表示鲜美的食物，下面的"次"是由"水"
和"欠"构成的，水指口水，欠则是从人嘴里呼出的
气；"欠"字的小篆写作"㳄"，下面是"人"，上面的
三撇则是从人嘴里呼出的气体。"羡"字是看到鲜
美的食物时，心里很喜欢，想要拿来吃，所以口水就
流下来了。

dào

盗

"盗" 字跟 "美" 字的关系很密切,因为 "盗" 字上面的 "次" 就是由 "美" 字而来的。"盗" 的下面是 "皿",也就是器皿的意思。当一个人看到这个器皿是他喜欢的,就会产生很羡慕、想要拥有的心理;而当他没有办法用正当手段获取时,就会想盗取它,以据为己有。

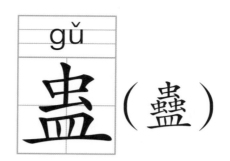

gǔ
蛊（蠱）

"蛊"字有多种含义，主要的一种含义是指吃到肚子里会让身体生病的害虫。"蛊"的繁体字上面有三条虫，（"三"表示"多"的意思），下面是"皿"，在这里是指盛食物的器皿。众多的虫侵入人的肠胃发生了腐蚀的作用就叫作蛊，又叫中蛊。

给小朋友的话：

我国的领土面积广阔，民族众多，各个民族都各有独特的风俗习惯。除了汉族以外，你还知道其他民族的奇风异俗吗？

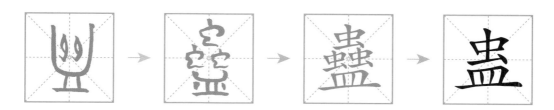

zhí
执（執）

　　"执"的本义是捕捉、捉拿。从甲骨文的字形中，我们可以看到一个犯人的两只手被铐住；演变到金文时，左边的字形就变成一个盗匪的样子，右边则是一个人伸出两只手来拘捕这个犯人。不论是犯人被铐住还是某人正在拘捕犯人，"执"字都有捉、拿、安置、执掌的意思。

给小朋友的话：

　　成语"择善固执"是指对正确的事要坚持执行，不改变心意。小朋友，你在处理事情的时候会不会择善固执呢？

guāng
光

gǔ wén de guāng zì shì gēn jù rén gāo jǔ zhú huǒ de yàng zi lái zào
古文的"光"字是根据人高举烛火的样子来造

de bǎ zhú huǒ gāo jǔ zhè yàng huǒ guāng kě yǐ zhào liàng de fàn wéi jiù bǐ
的。把烛火高举，这样火光可以照亮的范围就比

jiào dà suǒ yǐ guāng zì yě yǒu míng de yì si guāng de shàng
较大，所以"光"字也有"明"的意思。"光"的上

miàn shì huǒ xià miàn shì rén bǎ zhú huǒ gāo jǔ zài rén de tóu
面是火"〜"，下面是人"〜"，把烛火高举在人的头

dǐng shang huǒ guāng méi you bèi zhē zhù jiù huì hěn míng liàng le
顶上，火光没有被遮住就会很明亮了。

gěi xiǎo péng yǒu de huà
给小朋友的话：

fù mǔ shì bu shì jīng cháng dūn cù nǐ yào hǎo hǎo yòng gōng jiāng lái chéng jiù
父母是不是经常敦促你要好好用功，将来成就

yì fān dà shì yè hǎo guāng zōng yào zǔ ne nà nǐ yǒu shén me mèng xiǎng ne háng
一番大事业好"光宗耀祖"呢？那你有什么梦想呢？行

háng chū zhuàng yuan bù guǎn zuò shén me zhǐ yào kěn nǔ lì dōu kě yǐ qǔ dé yì
行出状元，不管做什么，只要肯努力，都可以取得一

fān chéng jiù de
番成就的。

98

sù
宿

古人讲究"日出而作，日落而息"。"宿"字的甲骨文字形就是屋子里有一个人躺在草席上休息睡觉。"宿"字上面画的是房子的外观，左下方画的是一张草席，右下方则是一个人的侧面；现在的"宿"字则是人在左边，草席在右边，这在中国文字的演变过程中是很常见的；又因为住宿要在夜晚停留，所以"宿"字又有晚上、停留、休息等意思。

给小朋友的话：

"宿"字其中的一个读音是"秀"，是星宿的意思。

小朋友，你有观察星象的习惯吗？你能够认出哪些星座呢？

100

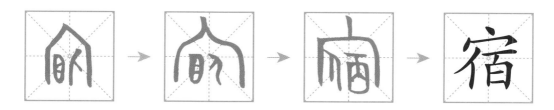

zuò

坐

"坐"字最早的字形只能追溯到小篆,字形就像两个人对坐在土上的样子。椅子是汉代以后才发明的,所以古人大多是席地而坐;后来"坐"字再加上一个"广"偏旁,就成了"座"字,"广"表示在屋子里的意思。在郊外可以席地而坐,在屋子里就可以坐在椅子上了,所以"座"字就有了座位的意思。

给小朋友的话:

小朋友,你听过"井底之蛙"的故事吗?住在井底的青蛙只看到一小片天空,却高傲地以为看到了全世界。这个故事用来比喻和讽刺眼界狭窄或学识浅显的人。

dǎo

导（導）

"导"的意思是在前面带领、引导，让被领导的人可以顺利地到达目的地。在金文里，"导"字的字形就是一个人"🔅"（用"首"来代替人，"首"就是"头"）走在大马路中间"🔅"（即"行"字，指四通八达的道路），后面伸出一只手"🔅"来牵引需要被带领的人；以现在的字形来看，"导"的繁体字是由"道"和"寸"组合而成，"道"是可行的道路，"寸"有手的意思，同样表达了带领、领导的意思。

给小朋友的话：

现在我国高校的研究生学习都是实行导师制。导师就是可以带领你学习以及协助你处理生活事务的人，学生有学习和生活上的问题都可以请教导师。

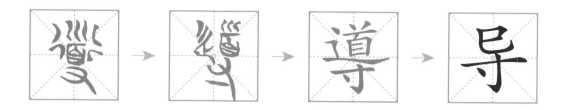

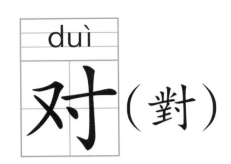

duì
对（對）

在看一些历史题材的影视剧时，你有没有注意

过臣子向皇帝上奏时，手中会拿着一条长长的

板子。那条板子称作"笏"，上面可以记一些准备向

皇帝上奏的事情，以备皇帝问起时可以对答如流。

"对"的本意就是对答，左边是一条笏的形状，右边

的"寸"就是手，"对"就是用手拿笏来应对回答的意

思。

给小朋友的话：

"诗仙"李白很喜欢饮酒，也爱月亮，他的《月下独

酌》诗中有一句"举杯邀明月，对影成三人"，可是其

实只有他一个人在喝酒。你知道另外"两个人"在哪里

吗？

◎ "对"字的演变过程：

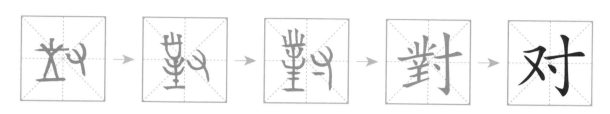

chī

吃

"吃"字的本意是指"口吃"。口吃是指说话不
顺畅流利,所以在"吃"字的最初造字字形中,就把
口吃的特点表现出来。"吃"的左边是"口",右边是
"气",就是说话时由嘴巴吐出来的气,形状是弯曲
的,含有气不能伸直的意味,用来表示说话是不顺
畅的,也就是"口吃"。

给小朋友的话:

有些口吃的人在发声器官上就有一些先天的缺
陷,所以我们对口吃的人时千万不能嘲笑,要耐心地听
他把话说完,并给予鼓励。

<table>
<tr><td>nù</td></tr>
<tr><td>怒</td></tr>
</table>

"怒"字的由来很有趣，它的上面是"奴"，"奴"字由"女"和"又"（手的意思）组合而成，表示不停地操劳做事的奴婢；下面是"心"字，是指奴婢的心情。

一个整日操劳、又经常被责骂鞭打的奴婢，她的心情肯定是非常不高兴的，所以"怒"字就有生气的意思。

给小朋友的话：

小朋友，你知道什么叫作"EQ"吗？"EQ"就是"情绪智商"的意思，一个容易发脾气的人，情绪智商往往是比较低的。

◎ "怒"字的演变过程：

shī

尸

zài jiǎ gǔ wén li　　shī　　zì de zì xíng jiù xiàng yí gè rén sǐ hòu tǎng
在甲骨文里，"尸"字的字形就像一个人死后躺

zhe　yǒng yuǎn bú huì zài qǐ lai de yàng zi　　shī　zì hái yǒu lìng yì zhǒng shuō
着，永远不会再起来的样子。"尸"字还有另一种说

fa　jiù shì gǔ dài rén men zài jì sì zǔ xiān shí　dōu yào zhǎo yí gè huó rén lái
法，就是古代人们在祭祀祖先时，都要找一个活人来

dài tì zǔ xiān duān zuò zài nà li　jiē shòu jì bài　zhè ge dài biǎo zǔ xiān shēn
代替祖先端坐在那里，接受祭拜，这个代表祖先身

fen de rén jiù bèi chēng zuò　shī
份的人就被称作"尸"。

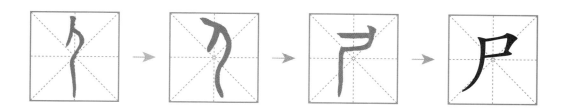

shǐ

屎

rén shì kào chī wǔ gǔ zá liáng huó zhe de　　yīn cǐ zài xiāo huà xī shōu
人是靠吃五谷杂粮活着的，因此在消化吸收

yíng yǎng hòu　　yě huì jiāng fèi wù cán zhā pái chu tǐ wài　　shǐ jiù shì rén tǐ
营养后，也会将废物残渣排出体外。"屎"就是人体

yóu gāng mén pái xiè chu lai de xiàng mǐ hú zhuàng de huì wù　　sú chēng dà biàn
由肛门排泄出来的像米糊状的秽物，俗称大便。

shǐ　zì de jīn wén zì xíng hěn yǒu yì wèi　　zuǒ bian shì yí gè rén bǎ pì gu
"屎"字的金文字形很有意味，左边是一个人把屁股

lüè wēi qiào gāo de yàng zi　　yòu bian zé shì tā suǒ pái xiè chu lai de huì wù
略微翘高的样子，右边则是他所排泄出来的秽物。

114

niào

尿

^{jiǎ gǔ wén de niào zì zì xíng hěn tè bié kàn qi lai jiù xiàng yí gè}
甲骨文的"尿"字字形很特别，看起来就像一个
^{rén cè miàn zhàn zhe sā niào de yàng zi rén tōng guò mì niào xì tǒng jí niào lù pái}
人侧面站着撒尿的样子。人通过泌尿系统及尿路排
^{chu tǐ wài de yè tài wù zhì jiù shì niào niào zì shì yóu shī yǔ}
出体外的液态物质就是"尿"。"尿"字是由"尸"与
^{shuǐ zǔ hé ér chéng bú guò shī zì zài zhè li bú shì zhǐ shī tǐ ér}
"水"组合而成，不过"尸"字在这里不是指尸体，而
^{shì yòng lái biǎo shì rén tǐ}
是用来表示人体。

^{gěi xiǎo péng yǒu de huà}
给小朋友的话：

^{jīng cháng biē niào duì shēn tǐ bù hǎo róng yì dǎo zhì páng guāng yán děng jí}
经常憋尿对身体不好，容易导致膀胱炎等疾
^{bìng xiǎo péng yǒu jiǎ rú chū mén zài wài nǐ zì jǐ bù fāng biàn shàng cè suǒ yí dìng}
病。小朋友，假如出门在外你自己不方便上厕所，一定
^{yào qǐng rén péi nǐ yì qǐ qù jǐn liàng bú yào rěn zhe}
要请人陪你一起去，尽量不要忍着。

sǐ
死

rén sǐ hòu yì shi huì suí zhī xiāo shī　jǐn shèng xia ròu tǐ　ròu tǐ fàng
人死后意识会随之消失，仅剩下肉体，肉体放

jiǔ le yě huì fǔ làn　zuì hòu jiù zhǐ shèng xia gǔ tou　jiǎ gǔ wén de sǐ
久了也会腐烂，最后就只剩下骨头。甲骨文的"死"

zì　yòu bian huà de shì rén sǐ hòu huǐ huài de gǔ tou　zuǒ bian zé shì yí gè
字，右边画的是人死后毁坏的骨头，左边则是一个

rén guì zài nà li jì bài tā de yàng zi　hòu lái jīng guò yǎn biàn　zuǒ bian de
人跪在那里祭拜他的样子。后来经过演变，左边的

dǎi　jiù zhǐ cán liú de yǒu liè hén de gǔ tou　yòu bian zé qǔ　huà　zì
"歹"就指残留的有裂痕的骨头，右边则取"化"字

yòu bàn biān　biǎo shì rén sǐ hòu jiù zài yě bú huì huí lai le
右半边，表示人死后就再也不会回来了。

zōng

宗

古人对祖宗非常尊敬,都会单独盖一间宗祠来供奉列祖列宗的牌位,并且还请人专门照看、处理宗祠的事务,以表达慎终追远的敬意。"宗"字就是指摆放祖宗牌位的屋宇,上面的"⌒"画的是宗祠的外观,里面的"丅"则表示祖先的牌位。古人认为人死后就具有超自然的力量,因此遇到难解的问题时,就会向祖先请示,所以表示牌位的"丅"也写作"示"。

给小朋友的话:

小朋友,你知道你的祖宗的来历吗?每个家族都有一段属于自己的奋斗历史。你可以请父母告诉你有关祖先的故事。

◎ "宗"字的演变过程：

jì

祭

jì sì　bài shén líng huò bài zǔ xiān　de shí hou　tōng cháng dōu huì zhǔn bèi
祭祀（拜神灵或拜祖先）的时候，通常都会准备

fēng shèng de jiǔ ròu gōng shén líng xiǎng yòng bìng xiàng tā men qí fú xiāo zāi yīn cǐ
丰盛的酒肉供神灵享用，并向他们祈福消灾，因此

jì　zì de jiǎ gǔ wén zì xíng jiù shì yì zhī shǒu　　ná zhe jiǔ
"祭"字的甲骨文字形就是一只手"彐"拿着酒"八"

ròu　　　　de yàng zi　yǎn biàn dào jīn wén shí　shěng lüè diào jiǔ　jiā shang le
肉"口"的样子；演变到金文时，省略掉酒，加上了

lái biǎo shì shén líng　zài màn màn yǎn biàn dào xiǎo zhuàn shí　　zì xíng jiù gēn
"夕"来表示神灵，再慢慢演变到小篆时，字形就跟

xiàn zài suǒ xiě de　　jì　zì jiē jìn le
现在所写的"祭"字接近了。

zhù

祝

　　"祝"是指古代祭祀的时候嘴里念祝祷词的那个人。现在的庙里也还有像"庙祝"这样身份的人，在祭祀时担当祈祷的任务。"祝"字的左边是"示"，"示"字的上面是"二"，表示上天，下面的三竖用来表示日、月、星。因为古人认为万物都有灵性，所以就用日、月、星来表示从天而降的神灵。"祝"字的右边画的是一个人在神明前跪拜的样子，人上面的"口"画得特别大，则是强调他正在念祝祷词。

给小朋友的话：

　　过年时晚辈都会向长辈祝福，祝愿他们长命百岁。平日里我们也常会送给别人祝福，这里的"祝"字就有祈求的意思，这是从"祝"字的原意衍生出来的。

zhào
兆

gǔ rén zài miàn duì bù kě yù zhī de shì qing shí　xǐ huan qiú shén wèn bǔ
古人在面对不可预知的事情时，喜欢求神问卜

lái duàn dìng jí xiōng zài yī jù qiú dé de jí xiōng yù zhào lái jué dìng rú hé yìng
来断定吉凶，再依据求得的吉凶预兆来决定如何应

duì　zuì cháng bèi yòng lái yàn jí xiōng de qì jù jiù shì guī jiǎ huò shòu gǔ　fāng
对。最常被用来验吉凶的器具就是龟甲或兽骨，方

fǎ shì xiān yòng jiān ruì de dōng xi zài guī jiǎ huò shòu gǔ shang zuān yí gè xiǎo dòng
法是先用尖锐的东西在龟甲或兽骨上钻一个小洞，

zài fàng zài huǒ shang shāo kǎo　shāo kǎo hòu guī jiǎ huò shòu gǔ shang jiù huì chū xiàn
再放在火上烧烤，烧烤后龟甲或兽骨上就会出现

liè hén　rán hòu gēn jù liè hén de xíng tài lái jiě shì qiú bǔ suǒ dé de jié guǒ
裂痕，然后根据裂痕的形态来解释求卜所得的结果，

yě jiù shì　zhēng zhào　shì jí huò shì xiōng　ér　zhào　zì jiù shì gēn jù guī jiǎ
也就是"征兆"是吉或是凶。而"兆"字就是根据龟甲

huò shòu gǔ shang liè hén de yàng zi zào de
或兽骨上裂痕的样子造的。

---

gěi xiǎo péng yǒu de huà
给小朋友的话：

xiǎo péng yǒu　nǐ zài chéng zhǎng guò chéng zhōng　rú guǒ pèng dào bù néng jiě jué
小朋友，你在成长过程中，如果碰到不能解决

de wèn tí shí　bú yào zháo jí　yě bú yào chén mò bù yǔ　bù fáng gào su fù mǔ
的问题时，不要着急，也不要沉默不语，不妨告诉父母

shī zhǎng huò xǔ tā men kě yǐ bāng zhù nǐ jiě jué
师长，或许他们可以帮助你解决。

kùn

困

shù mù de běn xìng shì zhī yè xiàng shàng shēn zhǎn   shù gēn wǎng xià shēn zhǎn
树木的本性是枝叶向上伸展,树根往下伸展。

jiǎ rú yòng yí gè dōng xi bǎ shù mù de sì zhōu wéi qi lai   ràng tā wú fǎ zài
假如用一个东西把树木的四周围起来,让它无法再

wǎng shàng xià zuǒ yòu shēn zhǎn   zhè kē shù jiù děng yú bèi xiàn zhì zhù tā de běn
往上下左右伸展,这棵树就等于被限制住它的本

xìng   méi bàn fǎ zài hǎo hǎo de jì xù shēng zhǎng le   kùn   zì de zì xíng jiù
性,没办法再好好地继续生长了。"困"字的字形就

shì yì kē shù de sì zhōu dōu bèi bāo wéi xiàn zhì zhù de yàng zi   suǒ yǐ   kùn
是一棵树的四周都被包围限制住的样子,所以"困"

yǒu kùn rǎo   kùn dùn de yì si
有困扰、困顿的意思。

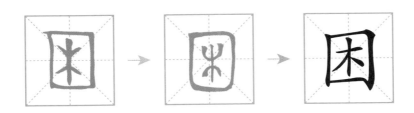

qiú
囚

bǎ rén guān zài láo yù li nà ge rén jiù biàn chéng le qiú fàn suǒ yǐ
把人关在牢狱里，那个人就变成了囚犯，所以

qiú zì de zì xíng jiù shì bǎ yí gè rén guān zài yí gè sì zhōu fēng bì mì
"囚"字的字形就是把一个人关在一个四周封闭密

hé de dì fang yòng zhè zhǒng fāng shì lái xiàn zhì tā de zì yóu zài jiǎ gǔ wén
合的地方，用这种方式来限制他的自由。在甲骨文

shí dài qiú zì jiù yǐ jīng chǎn shēng le kě jiàn qiú fàn zhì dù cóng yīn shāng
时代，"囚"字就已经产生了，可见囚犯制度从殷商

shí qī huò gèng zǎo yǐ qián jiù yǒu le
时期或更早以前就有了。

◎ "囚" 字的演变过程：

囚 → 囚 → 囚

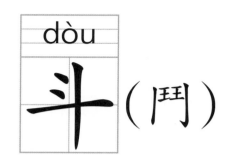

dòu

斗（鬥）

jiǎ gǔ wén zhōng　　dòu　　de zì xíng jiù xiàng liǎng gè rén shǒu li ná zhe
甲骨文中，"斗"的字形就像两个人手里拿着

dōng xi zài dǎ jià de yàng zi　suǒ yǐ　dòu　zì jiù yǒu zhēng chǎo　dǎ jià de
东西在打架的样子，所以"斗"字就有争吵、打架的

yì si　　dòu　shì yí gè bù shǒu zì　　dài zhè ge bù shǒu de zì dà duō yǒu
意思。"斗"是一个部首字，带这个部首的字大多有

zhēng chǎo de yì si　xiàng　nào　zì　　nào　de zhōng jiān shì　shì　　shì jí
争吵的意思，像"闹"字。"闹"的中间是"市"，是集

shì de yì si　yě jiù shì huò wù jí zhōng mǎi mài de dì fang　zài nà ge dì
市的意思，也就是货物集中买卖的地方，在那个地

fang yào zhāo lǎn shēng yi　jiù yào dà shēng jiào rǎng　xuān huá　suǒ yǐ　nào　zì jiù
方要招揽生意就要大声叫嚷、喧哗，所以"闹"字就

yǒu xuān rǎng　　chǎo nào de yì si
有喧嚷、吵闹的意思。

gěi xiǎo péng yǒu de huà
给小朋友的话：

dòu zhì bú dòu lì　jiù shì yǐ zhì móu dàn bù yǐ wǔ lì qǔ shèng de yì
"斗智不斗力"就是以智谋但不以武力取胜的意

si　xiǎo péng yǒu　nǐ gēn rén dòu zhì guo ma　kě yǐ gēn rén xià xia qí　nà jiù shì
思。小朋友，你跟人斗智过吗？可以跟人下下棋，那就是

yì zhǒng dòu zhì yóu xì
一种斗智游戏。

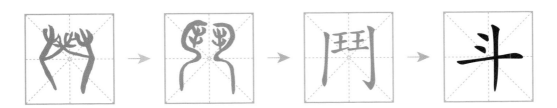

 中国文字的演变

你知道中国最古老的文字是什么吗？目前所知道的中国最早的有系统的文字是甲骨文。为什么要在骨头上刻字呢？这是因为古人敬畏自然和神灵，认为天地神灵有神秘不可知的力量，所以要先问他们的旨意，才能安心做事；尤其是商朝的王室贵族，更是每件事都要问，有时同一件事还要问很多遍。

他们怎样问神灵呢？其实就是用占卜的方法，但这个过程有些复杂：首先要把龟甲兽骨洗干净，切成适当大小，再磨平、磨光，然后在背面凿出一条条的小沟槽，沟槽旁再钻出一个个小圆孔，沟槽跟小圆孔距离正面都很薄，但是又不能穿透。这块处理好的龟甲或兽骨先交由掌管占卜的人保存。等到拣选了良辰吉日要开始占卜，就把这块甲骨拿出来，用火炬去烧小圆孔，便会有很多裂纹出现，这些裂纹就叫"卜兆"，然后商王或史官就会根据裂纹的形态来判断吉凶祸福，并把要卜问的事刻在甲骨上，这就是甲骨文。

甲骨文一直到清朝末年才被发现。那时甲骨还被称作"龙骨"，被拿去当药材用呢！不知那些用了龙骨的人有没有变聪明一点儿？

到了商周时期，便出现了金文。金文就是刻在青铜器上的文字，因为古人把"铜"称作"金"，所以这些文字也称为"金文"；又因为用铜铸成的钟、鼎等礼器受到人们的重视，所以这一类的文字也称作"钟鼎文"。

到了春秋战国时期，各个诸侯国都想要问鼎中原，所以连年征战，文字的流通也受到阻碍，各个诸侯国的文字形体演变各不相同。一直到秦始皇统一六国，才接受丞相李斯统一文字的建议，把秦国原来使用的"大篆"稍加改变，使文字的结构和笔画得以定型，然后向全国推行这套文字，这就是"小篆"。从大篆到小篆的文字变革，在中国文字史上具有划时代的意义，占有重要的地位。

后来的"隶书"则是由小篆简化演变而来的。秦朝时，随着社会的发展，政务繁多，文书频繁，记录事务单用小篆已非常不便，于是便把小篆圆润的笔画改成方折的笔画，成了"隶书"。中国文字演变到隶书，加快了书写速度，但造字原则也被严重破坏，很多字已经看不出当初造字的原理。

隶书流行不久后，"楷书"也出现了。楷书的"楷"字，就是楷模、模范的意思。因为它的字体方正，笔画平直，可以当作楷模，所以也被称为"真书""正书"。到目前为止，楷书仍然是标准字体，也是人们常见的字体。

至于草书和行书，则是为了方便书写而演变出来的字体。"草书"就是指草写的隶书，形成于汉代；行书则是介于楷书和草书之间，不像楷书那样端正，也不像草书那样潦草，是日常常用的一种字体。

其实，中国文字发展与演变的历史，也是一部中国文化、中国文明传承与演变的历史。了解了中国文字的演变过程，对于我们现在所使用的文字，有没有觉得更亲切了呢？它们可是我们的祖先从很早很早以前，就传承下来留给我们的无价之宝哦！

◎中国文字的演变过程：

甲骨文 → 金文(钟鼎文) → 篆书 → 隶书 → 楷书、草书、行书

图书在版编目（ＣＩＰ）数据

有故事的汉字・走进生活 / 邱昭瑜编著. -- 青岛 ： 青岛出版社,2013.12
ISBN 978-7-5436-9888-8

Ⅰ. ①走… Ⅱ. ①邱… Ⅲ. ①汉字—儿童读物

Ⅳ.①H12-49

中国版本图书馆CIP数据核字(2013)第282698号

山东省版权局著作权合同登记号　图字：15-2013-216

本书经台湾企鹅图书有限公司（Ta Chien Publishing Co ., Ltd）授
权在中国大陆出版发行。

书　　　名	有故事的汉字（走进生活篇）
编　　著	邱昭瑜
出版发行	青岛出版社
社　　址	青岛市海尔路182号（266061）
本社网址	http : //www.qdpub.com
邮购电话	13335059110　0532-85814750（传真）　0532-68068026
策划组稿	谢　蔚　刘怀莲
责任编辑	刘克东
特约编辑	梁　颖
封面设计	乔　峰
装帧设计	于兆海
制　　版	青岛乐喜力科技发展有限公司
印　　刷	青岛乐喜力科技发展有限公司
出版日期	2014年1月第1版　2015年11月第12次印刷
开　　本	16开（787mm×1092mm）
印　　张	8.5
字　　数	170千
书　　号	ISBN 978-7-5436-9888-8
定　　价	28.00元

编校质量、盗版监督服务电话 4006532017

青岛版图书售后如发现质量问题，请寄回青岛出版社出版印务部调换。

电话：0532-68068638

本书建议陈列类别：儿童读物